뉴 에이지 g

New Age

Piano Solo 초급용 ❷

아름다운음악아름다운인생

아름출판사

Contents...

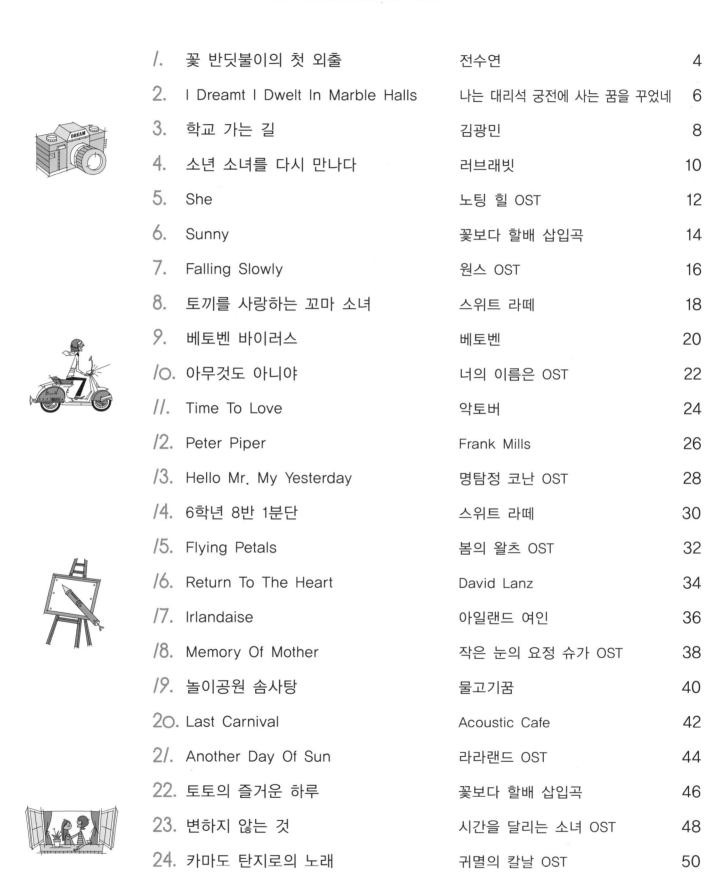

뉴 에이지 ••• Thinking

꽃 반딧불이의 첫 외출

전수연

D.C. al Coda

I Dreamt I Dwelt In Marble Halls

Michael William Balfe │ 나는 대리석 궁전에 사는 꿈을 꾸었네

학교 가는 길

김광민

소년 소녀를 다시 만나다

해리 | 러브래빗

She

Charles Aznavour, Herbert Kretzmer | 노팅 힐 OST

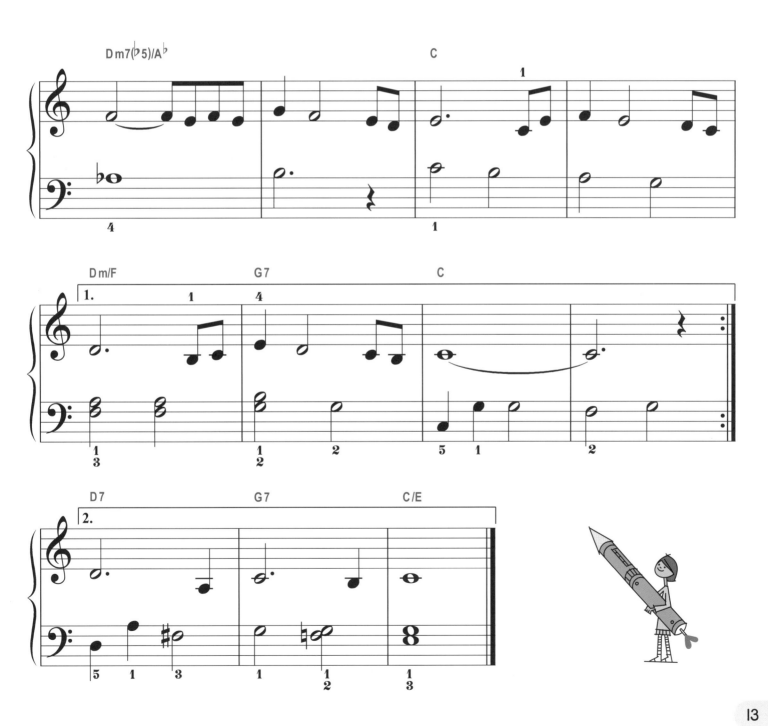

Sunny

해리 | Shizuko Mori | 꽃보다 할배 삽입곡

Falling Slowly

Marketa Irglova, Glen Hansard | 원스 OST

토끼를 사랑하는 꼬마 소녀

스위트 라떼

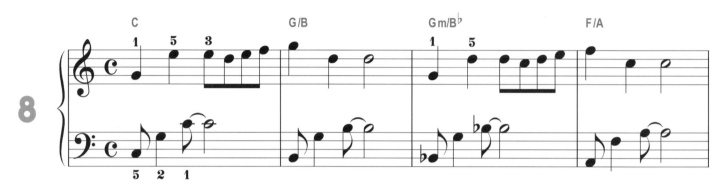

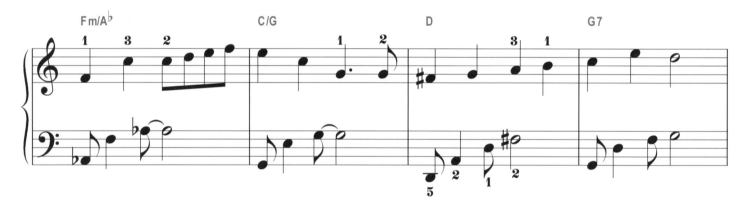

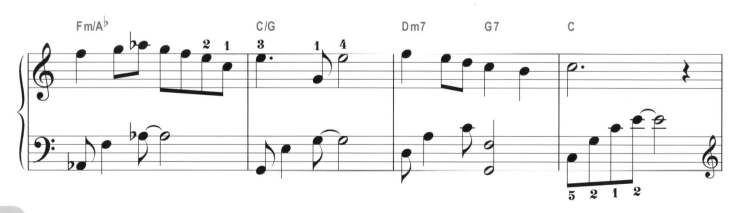

베토벤 바이러스

베토벤 | 소나타 '비창' 3악장

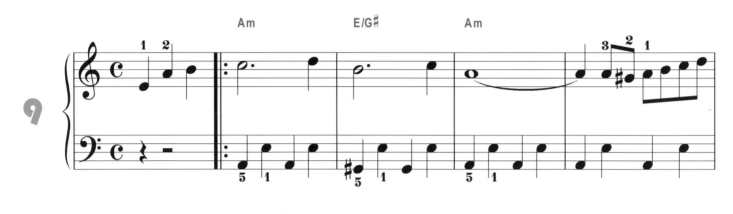

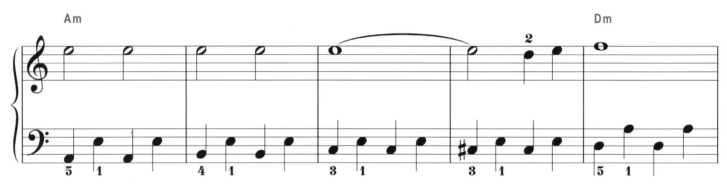

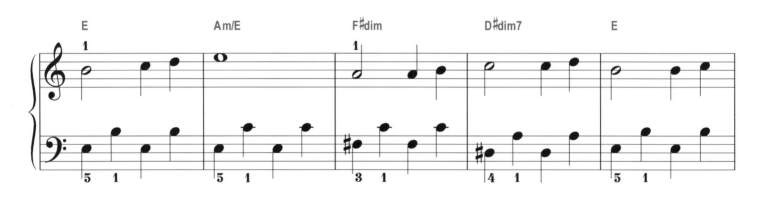

아무것도 아니야

Noda Yojiro | Radwimps | 너의 이름은 OST

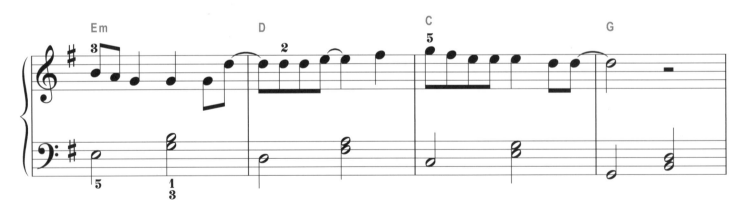

Time To Love

악토버

Peter Piper

Frank Mills

12

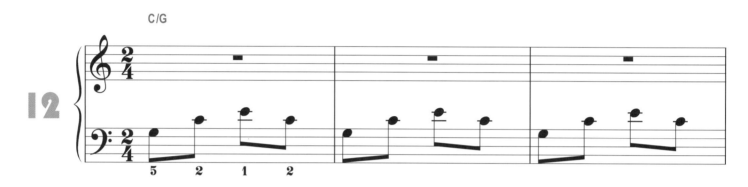

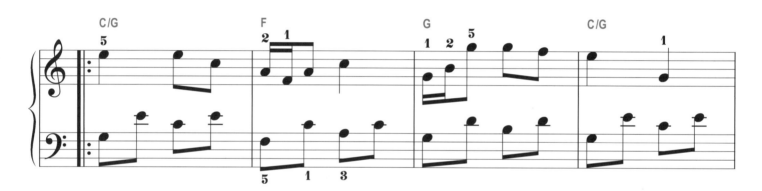

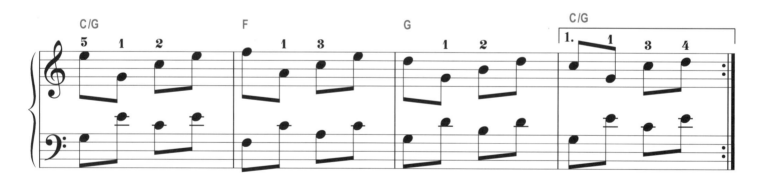

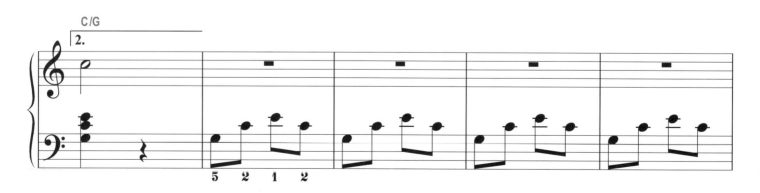

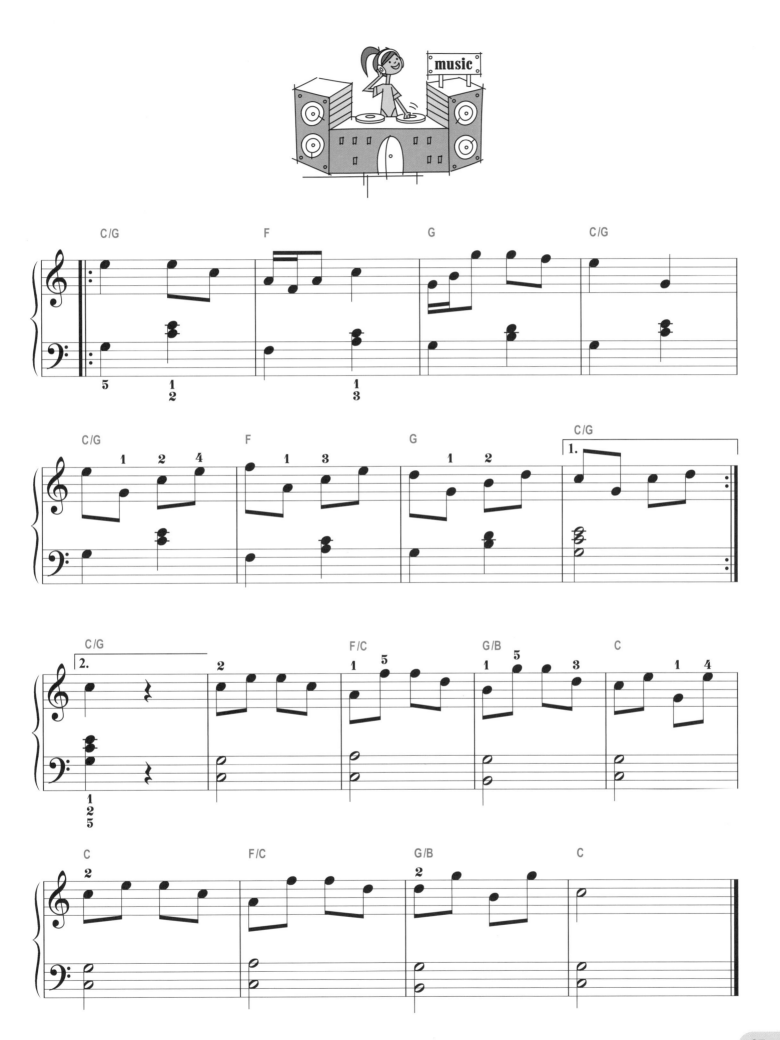

Hello Mr. My Yesterday

Tack, Ko-KI, L(R)UCCA, TAKA | Hundred Percent Free | 명탐정 코난 OST

6학년 8반 1분단

김미리 | 스위트 라테

Flying Petals

이지수 | 봄의 왈츠 OST

15

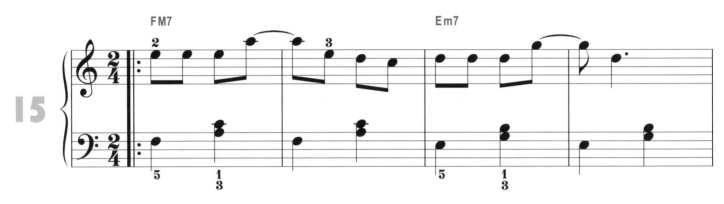

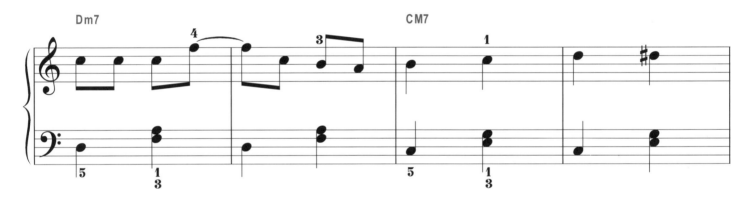

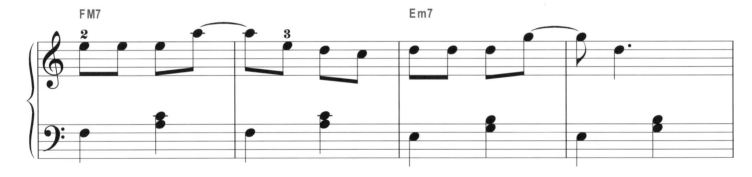

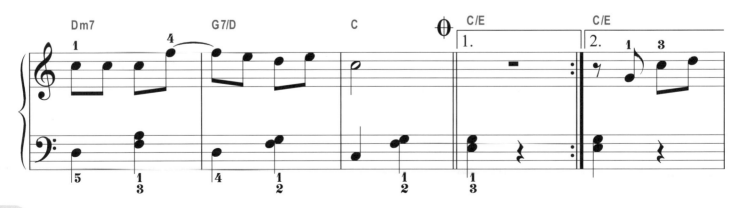

D.C. al Coda

Return To The Heart

David Lanz

Irlandaise

Claude Bolling | 아일랜드 여인

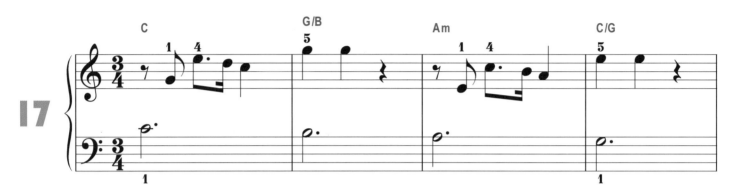

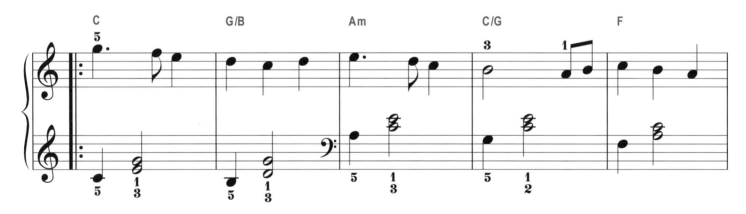

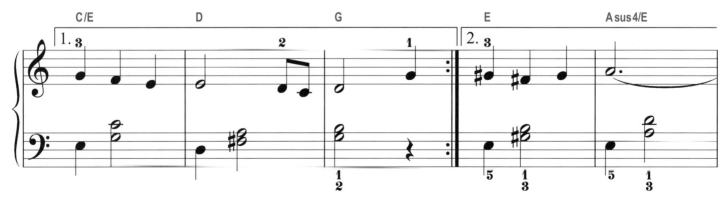

Memory Of Mother

Mitsumune Shinkichi | 작은 눈의 요정 슈가 OST

놀이공원 솜사탕

물고기꿈

Last Carnival

Norihiro Tsuru | Acoustic Cafe

20

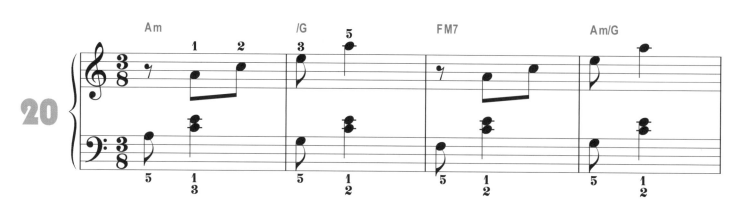

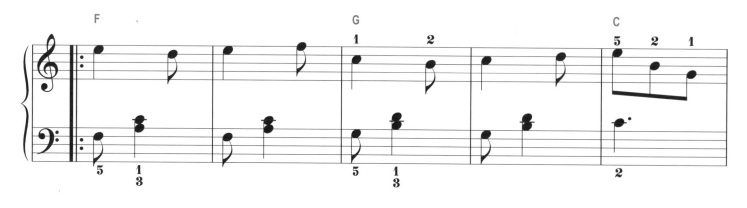

Another Day Of Sun

Benj Pasek, Justin Hurwitz, Justin Paul | 라라랜드 OST

토토의 즐거운 하루

해리 │ Shizuko Mori │ 꽃보다 할배 삽입곡

변하지 않는 것

Oku Hanako │ 시간을 달리는 소녀 OST

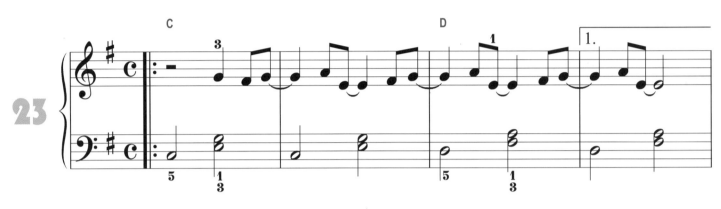

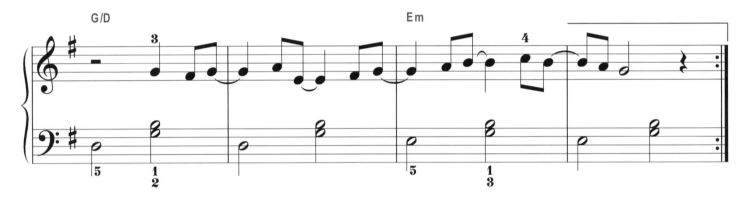

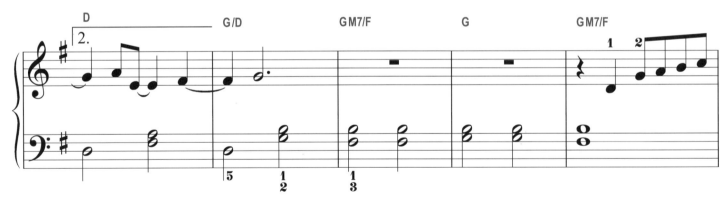

카마도 탄지로의 노래

Shiina Go | 귀멸의 칼날 OST

24

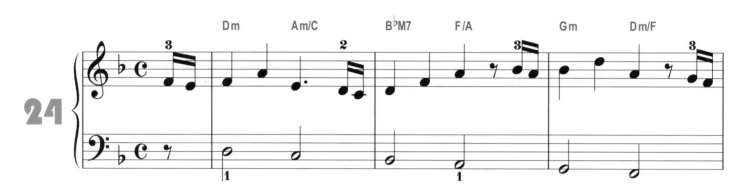

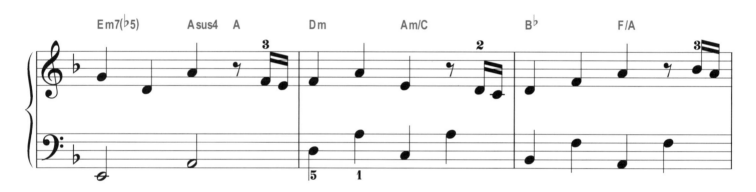

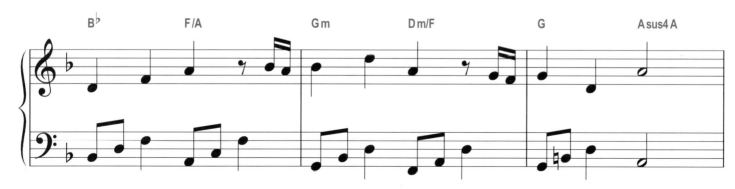

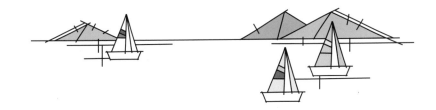

자각몽

전수연

어느 여름날

Joe Hisaishi │ 센과 치히로의 행방불명 OST

Sparkle

Noda Yojiro │ 너의 이름은 OST

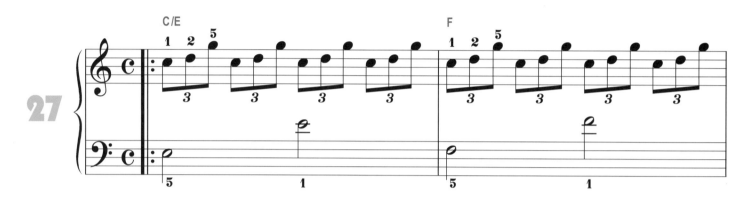

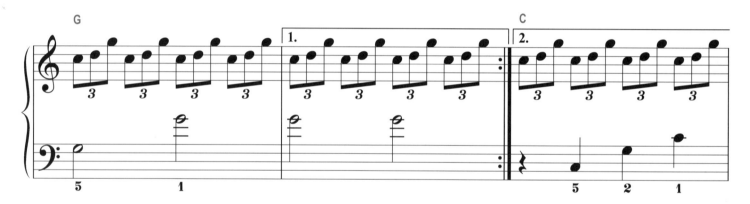

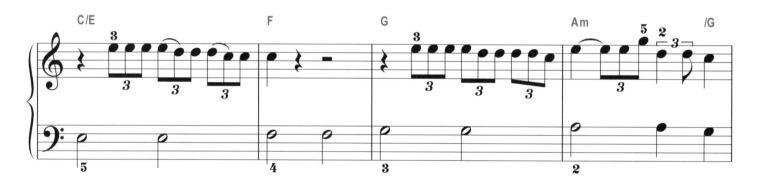

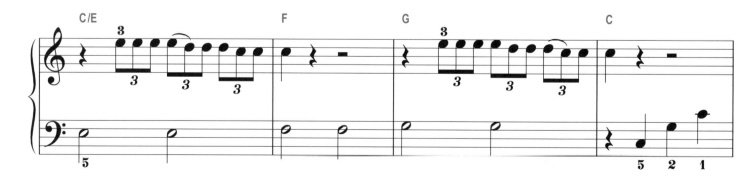

D.C. al Coda

사랑하는 이들에게

정재형

당신이 따뜻해서 봄이 왔습니다

316

29

D.S. al Coda

고양이와 산다는건 멋진 일이야

316

Les Champs-Elysees

Michael Deighan, Pierre Delanoe, Mike Wilsh | 오! 샹젤리제

Promenade dans les Bois

Paul de Senneville, Olivier Toussaint | Richard Clayderman

숲속의 오솔길

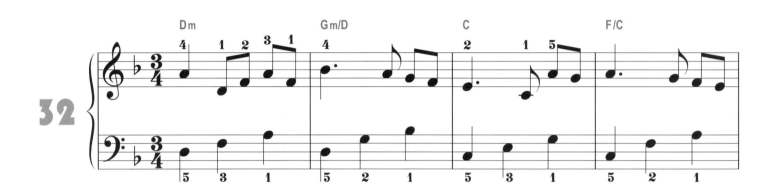

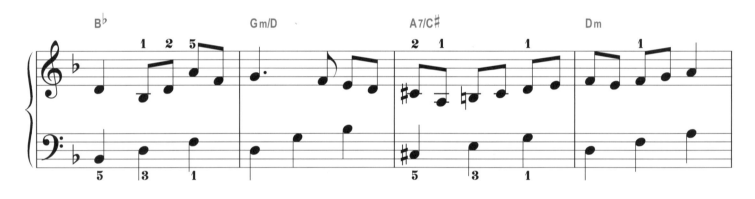

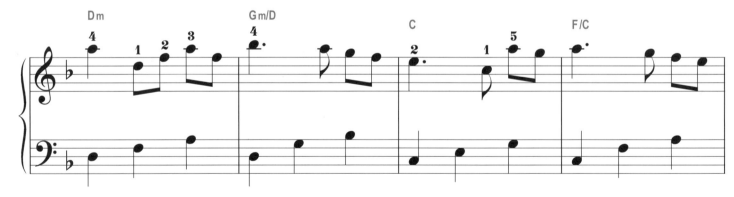

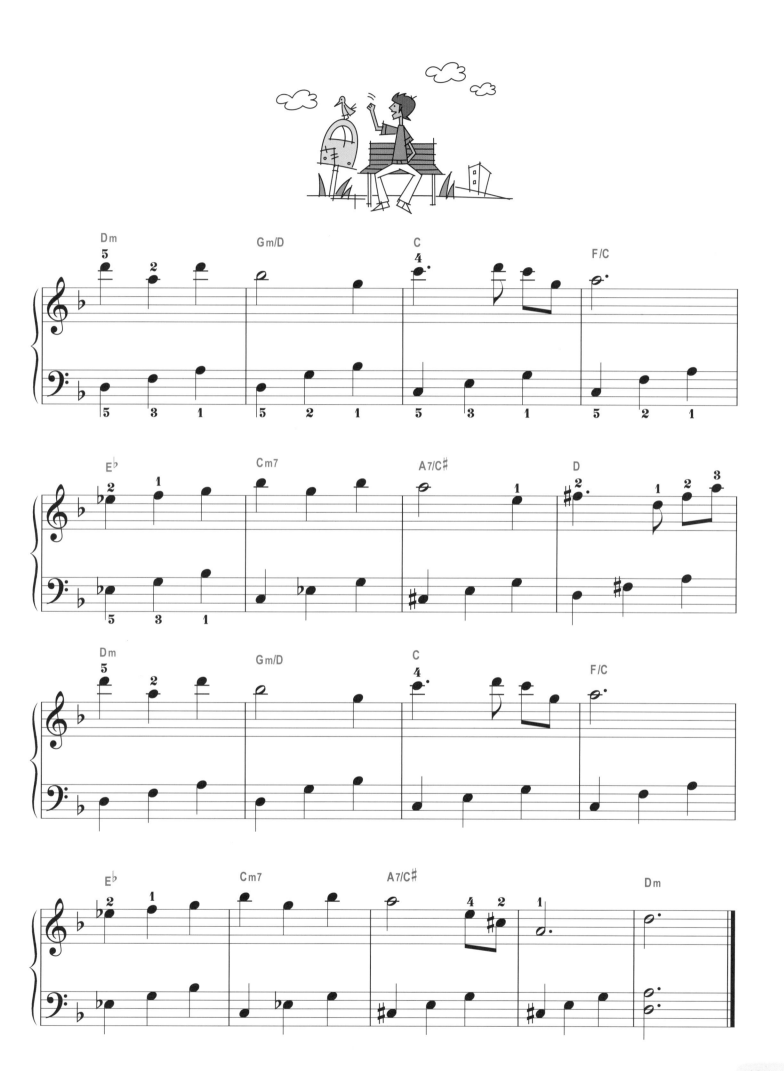

봄날의 곰을 좋아하세요

유성욱 | 피아노 포엠

Les Jours Tranquilles

Andre Gagnon | 조용한 날들

D.S. al Coda

You Raise Me Up

Rolf Lovland

City Of Stars

Benj Pasek, Justin Paul, Justin Hurwitz | 라라랜드 OST

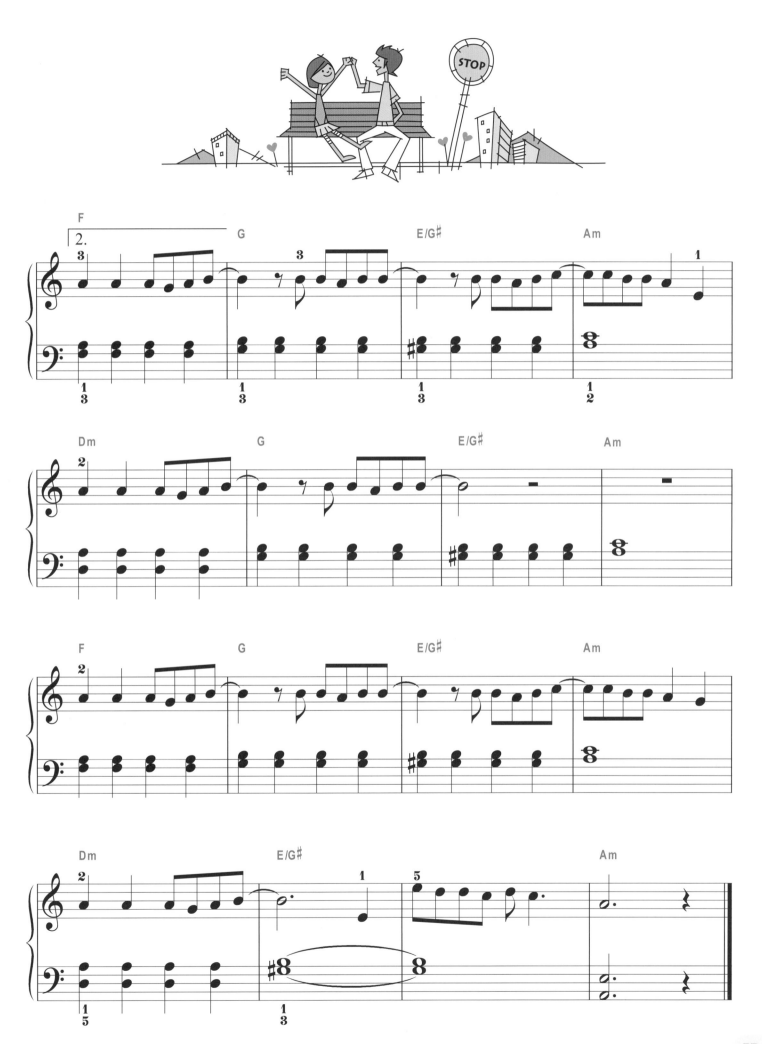

우리 처음 만난 날을 기억하나요

316

37

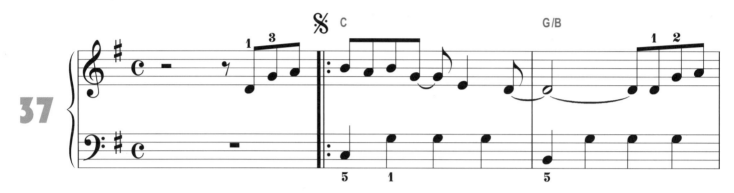

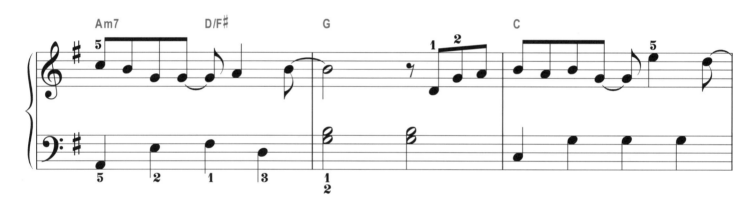

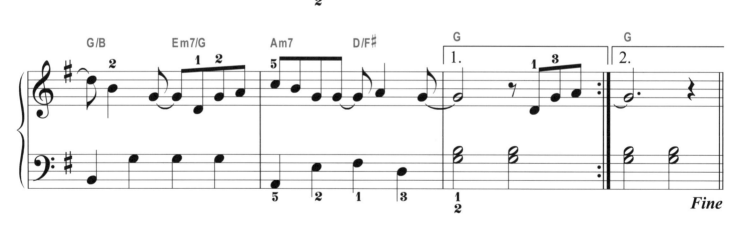

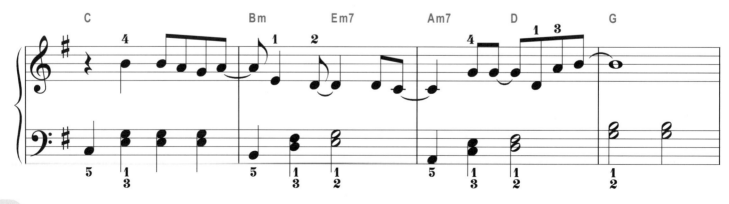

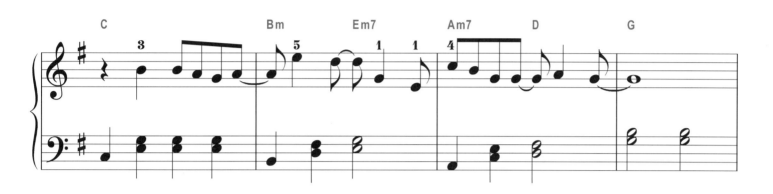

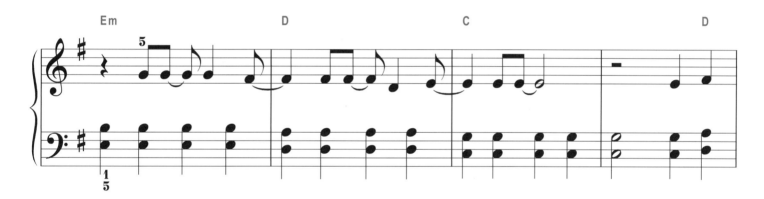

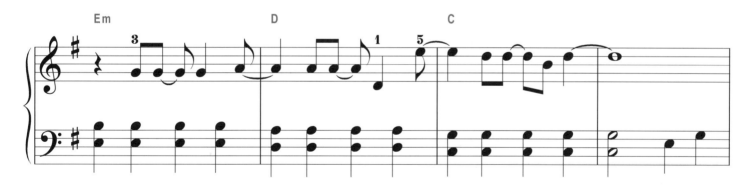

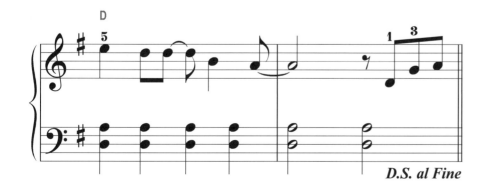

D.S. al Fine

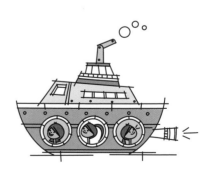

Smile Smile Smile

전수연 | 스마일 스마일 스마일

Ballade Pour Adeline

Paul de Senneville | Richard Clayderman

아드린느를 위한 발라드

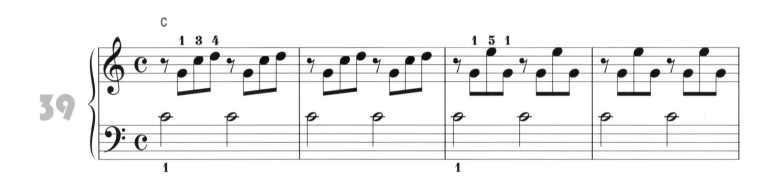

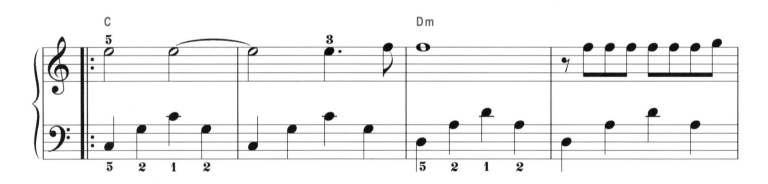

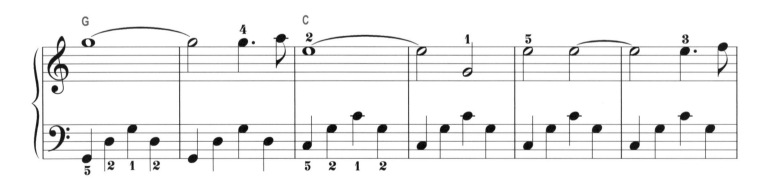

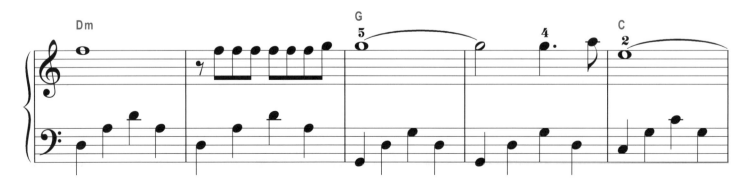

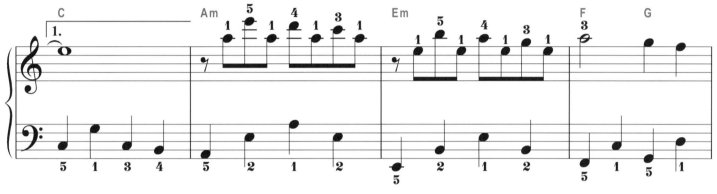

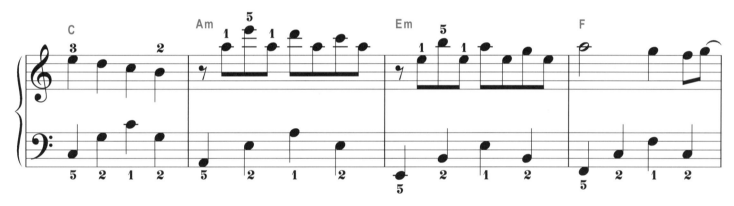

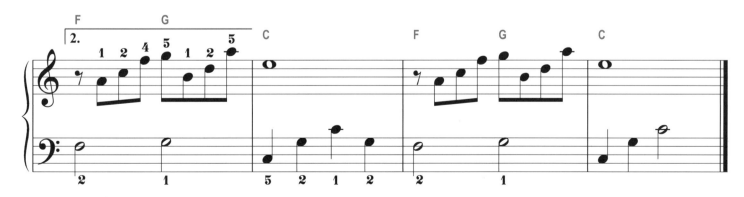

Flower Dance

DJ Okawari

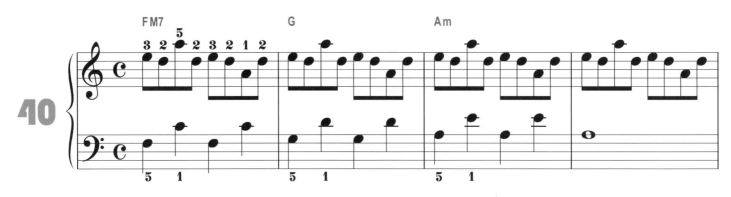

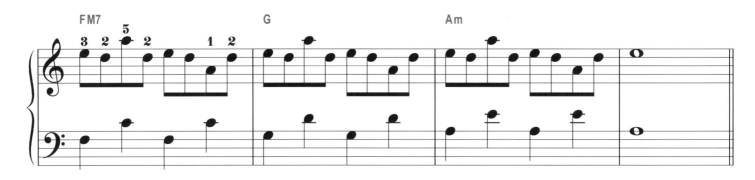

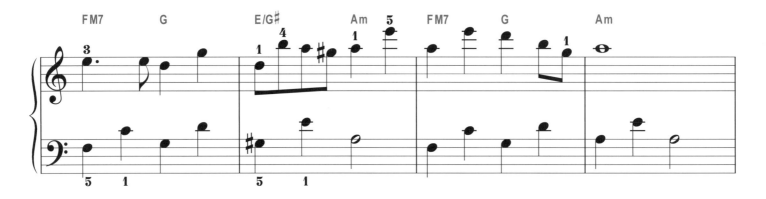

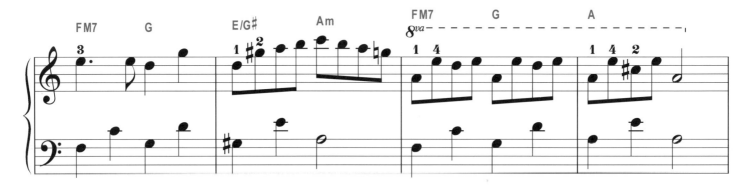

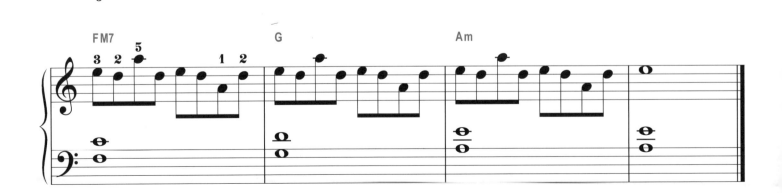

Grand Escape

Noda Yojiro | Radwimps | 날씨의 아이 OST

Cherry Blossom

악토버

42

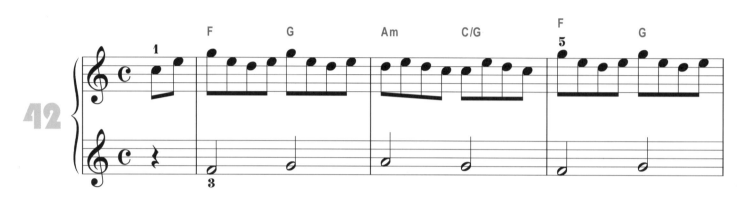

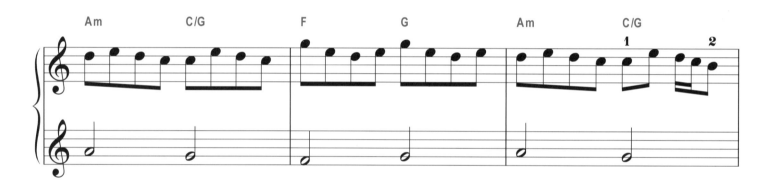

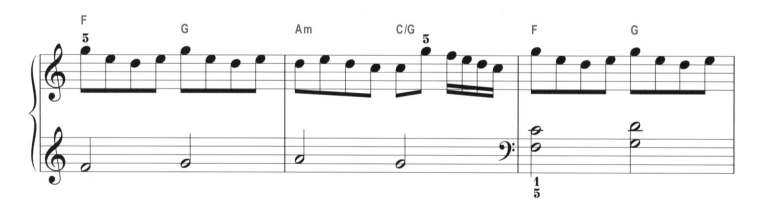

홍련화

Lisa, Kusano Kayoko | 귀멸의 칼날 OST

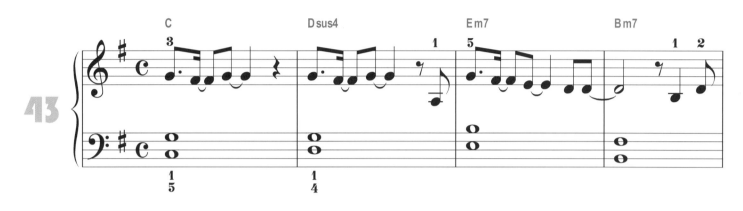

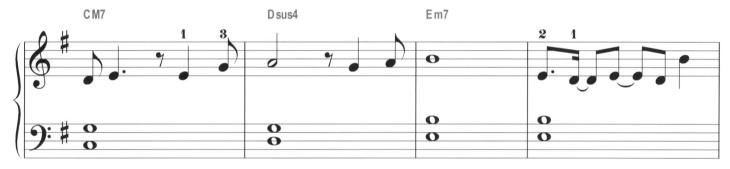

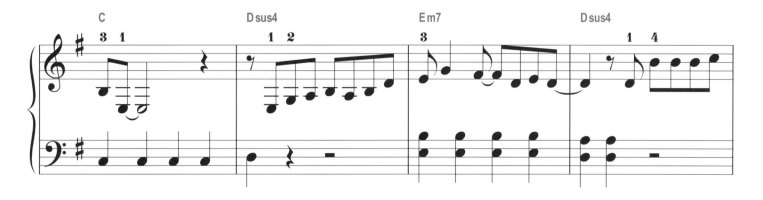

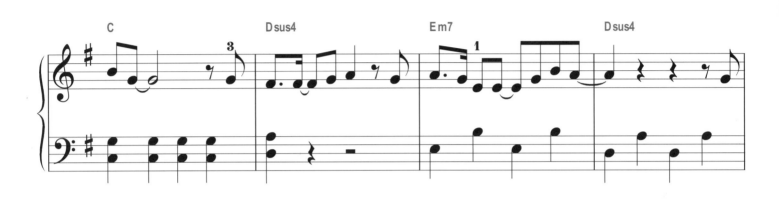

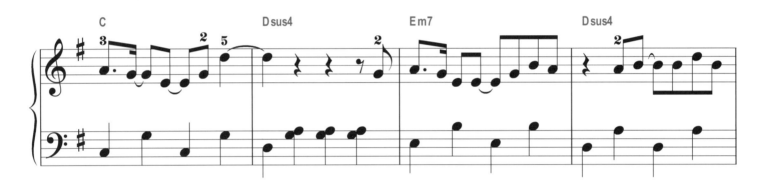

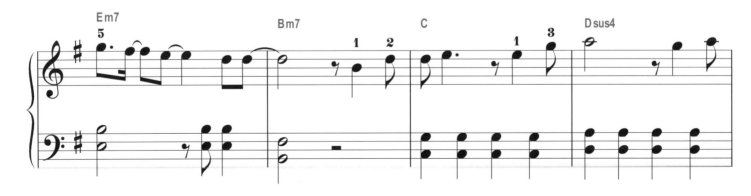

인생의 회전목마

Joe Hisaishi │ 하울의 움직이는 성 OST

D.S. al Coda

꽃날

서웅석 | 황진이 OST

Heart And Soul

Hoagy Carmichael, Frank Loesser | 아이패드 CF 삽입곡

Heart And Soul

Hoagy Carmichael, Frank Loesser | 아이패드 CF 삽입곡

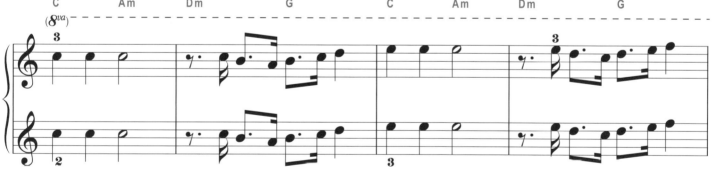

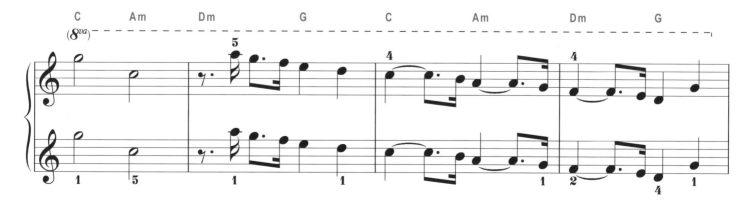

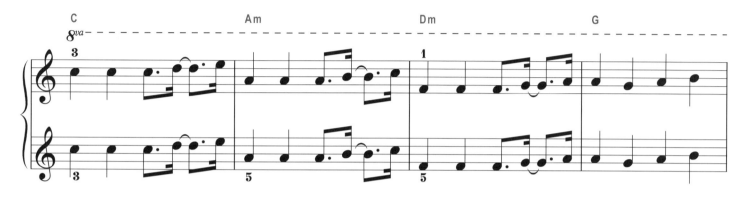

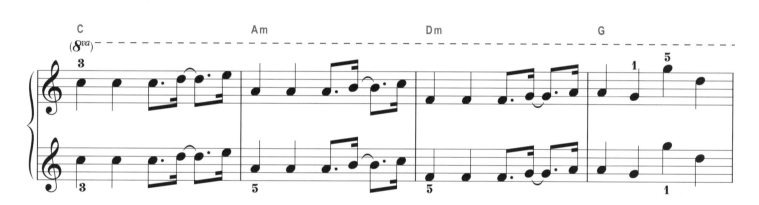

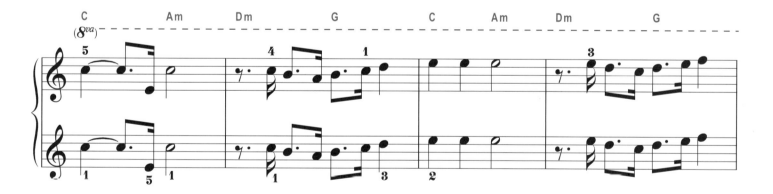

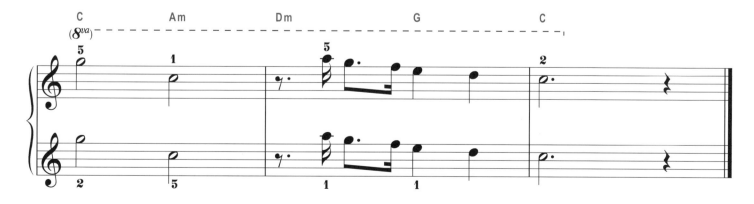

Angry Birds Theme

Ari Pulkkinen │ 앵그리 버드 게임 OST

Angry Birds Theme

Ari Pulkkinen | 앵그리 버드 게임 OST

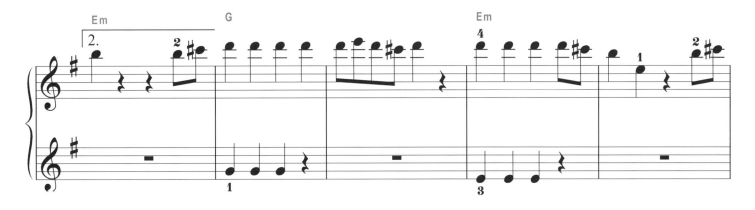

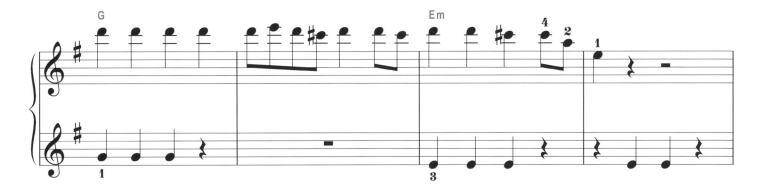

Secondo

Tramway

L. Gobbacrts | 철도

48

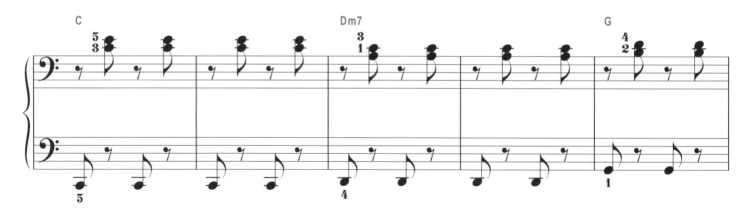

Tramway

L. Gobbaerts | 철도

Secondo

뉴 에이지 ••• Thinking

New Age

Piano Solo 초급용 **2** 개정판

발 행 일   2023년 4월 20일
발 행 처   아름출판사
주   소   경기도 고양시 덕양구 독곶이길 171(주교동)
            http://www.armusic.co.kr
전   화   (031)977-1881~2(영업부)
            (031)977-1883~4(편집부)
팩   스   (031)977-1885
등   록   1987년 12월 9일 제2001-7호

편   곡   조지영(piano-jjy@hanmail.net)
발 행 인   성강환
편 집 인   편집부

판 권
소 유

ISBN 978-89-8377-964-9   13670

이 책의 수록곡들은 저작료를 지급한 후에 출판되었으나, 일부 곡들은 부득이하게 저작자 또는 저작권 대리권자에 대한 부분을 찾지 못하였음을 알려드리며 추후 저작자 또는 저작권 대리권자께서 본사로 연락을 주시면 해당곡의 사용에 대한 저작권법 및 저작자 권리단체의 규정에 따라 조치하겠습니다.
아름출판사는 저작자의 권리를 존중합니다.